KB178013

서 문

이 책은 라인 아트풍의 예쁜 그림과 채색
하기를 좋아하는 이들을 위한
컬러링 북입니다.

복잡한 그림에 복잡한 채색을 하기보다는
한 두 가지의 색으로 채색을 해 보세요.

멋진 그림이 완성될 것입니다.

색상으로 개인적인 느낌을 더하거나
새로운 기술을 더 한다면
이 책은 여러분의 작품이 될 것 입니다.

겨울애

내 멋대로 그리는 예쁜 그림
Coloring Book

발 행 2024년 9월 1일
저 자 겨울애
편집디자인 겨울애

펴낸이 한건희
펴낸곳 주식회사 부크크
출판사등록 2014.07.15.(제2014-16호)
주 소 서울특별시 금천구 가산디지털1로 119 SK트윈타워 A동 305호
전 화 1670-8316
ISBN 979-11-419-0228-5
이메일 INFO@BOOKK.CO.KR
WWW.BOOKK.CO.KR